田村勝久

詩集　日光街道に歌うとき

文治堂書店

詩集　日光街道に歌うとき　目次

I

II

Ⅲ

表紙・挿絵　著者

今回の作品は二〇一六年八月から二〇一九年八月にかけて執筆したものです。

I

樹が激怒している

風が渦巻き
稲妻が走り
鉛のような雨が降る
葉を逆立て
真っ赤になって
燃えるように
怒りを表す樹

土砂を跳ね上げ
右の根　左の根と
ゆっくりと歩き出す
猛獣の叫び
こうなったら
誰にも止められない
太い二本の枝を

大地に下ろし
四足歩行で
恐竜のように進んでいく
治まらない怒りが
二十メートルの幹を
一日に一メートル程
成長させていく

赤い輝きに包まれた
樹が向かうのは
北方の山岳地帯
進路に住む人々は
知らせを受けて
意味も解らずに避難した

環境問題について
何か訴えたいことがあるのか
強い意志の目指すものは……

もしかすると
高い知性を持った
貴重な生物なのかもしれない

政府　議会　防災担当者
科学者　文化人　宗教家
人々は議論したが
方針は決まらなかった
自衛隊は攻撃を控えた

怒りの原因が判明した
地方新聞に
一枚の絵が紹介されていた
少しだけ有名な画家が語る
「この樹は御神木と言われていますが
見るからに不健康で怠惰です
この奇妙な樹の姿が気になり
この作品を描きました

生命感が存在しないので
枯れ木も山の賑わいという感じです
いやこの樹には植物の柔軟さもない
瓦礫も街の賑わいという感じかな」
その心無い言葉が
樹に伝わってしまったようだ

「なんだ　そんなことだったのか」
人々はとりあえず安心した
画家は非難されたが
パソコンを持っていなかったので
炎上することはなかった

樹は休むことなく動き続け
二週間の旅で
火山の頂上に到達すると
その場に聳え立った
百メートル程の

高さになっていた
放射される怒りに反応して
マグマが動き
火山が爆発する

蓄えられた液体燃料
同時に根の方からも
気体が噴射されていた
打ち上げ成功
樹は大気圏を離脱した

数ヶ月後
樹はようやく落ち着いたらしく
木星付近から
デジタル信号を送ってくる
植物の言葉は
人類には暗号なので
いまのところ
解読はされていない

日光街道杉戸の街で

もう少し早起きできれば
良かったのかもしれない

日立の大甕駅から
常磐線　水戸線と電車に乗って
生まれ故郷　結城を通り抜け
十時二分　小山駅に到着の予定

しかし　間の無人駅小田林で
結城で降りるはずの外人さんが
乗り越してしまい
車掌と相談していて発車が遅れた

宇都宮線の快速へ
乗り継ぐことを考えていた

二分　いや遅れたので一分で
跨線橋を渡ることは
私の脚では難しかった
階段を下りているところで
電車のドアが閉まった

約束した十時五十分には
二十分遅れることになると
ショートメールで
彼女に連絡はしておいた

栗橋か久喜駅で
東武線に乗り換えなければならない
日光線か伊勢崎線か
気持ちが焦る
栗橋で降りてしまったが
来た電車は南栗橋止まり
もう一度

乗り換えなければならない

中央林間行の電車が
東武動物公園駅に着く
以前の駅名は杉戸だったが
この駅は宮代町にある
動物公園は駅の西で
白岡市にまたがっているようだ

階段を上り
橋上駅の改札に出る
笑顔で手を振って
彼女が出迎えてくれた
十数分の遅刻だ

駅舎を出て
日光街道五番目の宿場
杉戸の街へ向かう

彼女が企画した
街歩きツアーの出発点
流灯工房を目指して

彼女が少し前を進む
大落古利根川の橋を渡る
私の鞄の中には　杉戸で配る予定の
ハードカバーの
詩集『結城を歩き探すもの』が
十二冊入っていた

「重いでしょう」
彼女が私の鞄を持ってくれた
渡した後で気付いたのだが
彼女は他に
二つの鞄を持っていた
ツアーコンダクターとして
参加者から預かったものだろう

凛凛しく軽快に歩いている

彼女は東京理科大学の後輩
親子ぐらいの年の差に見える
私は病み上がりの
老人に過ぎない
脳出血で倒れたのは
七年ぐらい前なのだが

集会所では他の参加者達が
案内人の会から説明を受けていた
私をそこに残して
彼女は三つの鞄を担ぎ
街歩きツアーの後に行われる
ライブ会場に向かった

オレンジのジャンパーの案内人が
二十五人位の集団を引率して

杉戸の街を散策する
富士朝間神社など
数カ所の寺社を回る
古民家は一般公開されていないので
残念ながら説明だけで
中には入れなかった

鉄道員が創業した
東京駅食堂で休憩して
リーズナブルなおにぎり弁当を食べる
五色米　胚芽味噌など
こだわりの食材が詰まっていた

本陣跡に残った門の前で
泊まった大名や役人
日光門主についての説明を受ける

明治天皇が五分間休憩した

場所に建てられたという石碑を見た
最後に街道沿いに
再現された高札場の前で
参加者が記念撮影をして
街歩きツアーは終了した

一足先にライブ会場に到着した彼女は
プロデューサーとして
会場を整える
着替えとメイクをして
リハーサルを行う
彼女はデビュー二十周年の歌姫
『祥子』になる

そのライブを聞きに来て
アーチストに荷物を持たせるとは
私は本当に困ったファンだ

今回のライブ会場は
少し前まで
うどん屋だった空間
今はイベントに使用されている
椅子席と座敷に
四十人くらいのファンが
集まっている

拍手
鍵盤ハーモニカを手にして
瑠璃色のドレスの
祥子さんが登場する
風の歌　雨の歌　恋の歌
感情を込めた声が広がる
一押しの曲『湖上の舞』は
演歌っぽいがタンゴだ
オールラウンダーとして頑張っている

鍵盤ハーモニカでは
間奏しか弾けないが
今回は会場に置かれていた
アップライトピアノで
弾き語りも聞かせてくれた

休憩の時間には
二種類の地酒が振る舞われた
その時間を利用して
私は紹介され自分の詩集をばら撒いた
関係ないと言われるかもしれないが
杉戸も結城も下総だ

日光観光大使をしている
祥子さんが開催する
日光街道宿場ライブ
後半も軽妙な語りで進行する

伴奏するのは師匠でもある
太り過ぎの陽気なギタリスト
マーク・イースト氏
日光街道ライブのテーマソング
『日本橋から…あの街へ』等
祥子オリジナル曲の作曲も担当する

あっという間に時間は過ぎて
次回は来月
幸手の宿の古民家で行われる

祥子さんの口癖は
「紅白に出場するのが夢
理大の卒業生が
ＣＤを五枚ずつ買ってくれれば
ミリオンセラーになるんだけれど」

私の詩集『結城を歩き探すもの』も
理大卒業生が五冊ずつ買えば
たちまちベストセラーになる
理科大同窓会の機関誌『理想』は
紹介記事を乗せてくれるだろうか

詩集は昨年末に完成したが
奥付に記されている発行日は
明日の一月二十八日
個人的に前夜祭にしてしまった

来年北関東から

最近関西から
伝わってきた
恵方巻という
節分の習慣

なぜ太い
海苔巻がいるのか
なぜ無言で
一気に食べるのか
なぜ年毎に違う
方角を向くのか
なぜコンビニ従業員に
ノルマが課されるのか

関西人は幸が薄いので

豆を撒くだけでは
福を呼べないようだ

ひょっとしたら
撒くと巻くを
掛けているだけなのか

洒落るなら
海苔巻よりも
おにぎりだろう

どうせ巻くなら
具には鬼の嫌いな
豆を入れた方がいいだろう

ねばねば納豆恵方おにぎりと
しもつかれ恵方おにぎりを携えて
来年は西の方へ向かう

そう言うと
少なくとも鬼は
笑ってくれる

出掛けないで待ち惚け

ひっそりと
泥に沈んでいる

生気が足りないから
巣窟から動けない
思い付きは進展しない

中途半端な
内職をしながら
漠然とした獲物を
待っている青蛙

頭に秘めた方程式
企てが萎んで
野望が崩れていく

通り過ぎるのは
忙しそうな奴ばかり

鍵鳥

夕方帰宅する
玄関の戸が
少し開いていた
空き巣だろうか
鍵はきちんと
掛けたはずなのに

中に入る
三和土に一羽の鳥がいた
体長は傘ぐらいで
直立している
真鍮の色をしていた

「オカエリナサイ」
オウムと同じ声だった

生物なのか
ロボットなのか
判別できない

「出て行け」
私は平静さを失い
右手を振り上げて
威嚇した

「オジャマシマシタ」
私の左を擦り抜けて
侵入者は家の外に出る
大きく羽ばたいて
空へと飛び去った

朝起きると
玄関の方で音がする
カシャ　カシャ　カシャ

様子を見に行く
カシャリと鍵が開く

戸がゆっくり動く
「オハヨウゴザイマス」
鳥が左足一本で立っていた
右足の先端が長く伸び
鍵の形状になっていた
「お前が開けたのか」
「モチロンデス」
「ここにはもう来るな」
「シツレイシマシタ」

鍵鳥を見送ってから
近所を一回りして
操縦者を捜す
怪しい奴はいなかった

数日後　家に帰る
鍵は開いていたが
鳥の姿はなかった

台所に行くと
冷蔵庫が荒らされていた
魚肉ソーセージが
好みのようだ
鍵鳥はロボットではなく
生物のようだ
自然界で進化した
新種なのだろうか
誰かにデザインされた
合成種かもしれない

鍵鳥を撃退するために
業者に頼んで
構造が複雑な鍵に

取り換えてもらった

それから一週間
鳥に玄関の鍵を
開けられることはなかった

ある朝
二階の寝室の
ベッドで目を覚ます

「オハヨウゴザイマス」
枕元に鍵鳥が立っていた
鳥の右足の先端が
私の頭部に
差し込まれていた

私の心の鍵は
開かれてしまった

鳥の目が緑に輝く
脳の中を探り
内容を書き換えている

世界平和を祈るなら

世界平和を望むのは
勝ち組に属する者達

たとえば
地球に築かれた
巨大帝国の支配者
平和を維持できれば
権力はより安泰
穏やかに富を収穫して
左団扇で暮らせる
持て余すほどの
軍事力を動員できるが
戦争を始めるのは
絶対に勝てるときだけ

最強国に対抗する
陣営の支配者も
平和主義を標榜する
互いに対峙して持久戦
先に動いた方が負ける
相手側の国家の
システムが劣化して
自ら崩壊するときを
気長に待っている
自国の平和が
乱される危険がなければ
小国同士の紛争に
介入して勢力を伸ばす

小さな独裁国家の
孤高の指導者も
平和を求めている
自分が敗けていないことを

核兵器を開発して訴える
七色のミサイルを発射して
世界を火の海にすると
恫喝する
平和の重さと釣り合う
富が分配されるのを
期待しているのだろう

民主国家の一票株主達も
やはり平和を希望する
国家が順調に繁栄し
自分達が幸福な支配者だと
思わされているうちは
何の疑念も浮かばない
指導者の選択を誤れば
雲行きが怪しくなる
与えられた主権が
象徴的なものと気付いて

息苦しくなった人々は
敗北感と共に
危うい変化を求める

負け組は
施しの平和を歓迎しない
誇り高き敗北者なら
自らの死を望むだろう
強者同士の戦争
あるいは天変地異
敗者は渾沌を願う
勝ち逃げは許さない
すべてをシャッフルして
再ゲームを希望する
平和を望むなら
勝利者になってからだ

圧政も善政も

帝王の匙加減
繰り返される実験に
発見はあるのか
勝者が敗者に
どれくらい還元すれば
敗者も平和を
願うようになるのだろう

人々が平和を祈るなら
その相手は神様
全能の神様は
この世の総ての存在が
同時に勝利する方法を
知っているはず

そうだとしても
神の心は分からない
平和の優先順位は

人が考えているほど
高くはないようだ
平和は生態系の外側にある

無垢な森から蛇が動く

自然界の
バランスが崩れて
絶望の欠片が
森に降ってくる

脅えた蛇達が
月のない夜に
りんごを呑み込む

覚醒　沈黙　後悔
号泣しながら
海原を越えていく

間違えて
かぼちゃを頬張った

数匹が
砂浜に残って
ダンスをしている

達磨《だるま》さんになる

大雨降って　大風吹いて
駅に行っても　電車は来ない
待ちくたびれて　手足痺れる
心捻じくれ　来ても乗らない
真っ赤になって　達磨さんになる

ストレス溜まる　頭ぐちゃぐちゃ
お部屋に籠る　明日は来ない
指折り数え　転んで起きる
誰も動くな　私がルール
目玉開いて　達磨さんになる

怒っているの　忘れているの
待っているのに　彼女は来ない
一段二段　三四の五段

木槌で叩かれ　すとんと落ちる
座り続けて　達磨さんになる

時間が逃げる　気持が焦る
お願いしても　チャンスは来ない
飛び散る火花　黙って睨む
張子の虎か　ダルメシアンか
笑いは要らぬ　達磨さんになる

犬なんてどこにでもいる

あちらの世界では
飛脚の速さで
犬を追い掛ける
袋小路に追い詰める
右手に持つ棒を
振り上げる
脅えて縮んだ犬は
北風に飛び乗って
消え失せる

こちらの世界では
犬は一歩も動かない
牛の骨をしゃぶり
唸りながら
焼いた餅のように

身体が膨張する
棒を投げ捨てて
なめくじの速さで
千里後退りする

そちらの世界では
誰も犬を知らない
犬なんて一匹もいない
犬の話をすると
笑われてしまう
しかし　大地に
棒を突き立てれば
どこからともなく
犬が湧いてくる

花咲か爺さんの陰で

愛犬ポチの死と引き換えに
富と名声を手に入れた
花咲か爺さん
儂もその成功に
関与させられた

奴は正直者と言われているが
戦略的に物事を考えるので
しばしば嘘をつく
不可解な行動もする
しかしそれに気付く人は少ない

儂は直感的に物事を考える
思ったことをそのまま言い
衝動的に行動してしまう

世間の人からは
意地悪爺さんと呼ばれている

正直爺さんがやって来た
一枚の小判を持っている
「痩せっぽちのポチが
裏の畑で騒いでいたので
そこを掘ってみました
すると大判小判が詰まった
壺が出てきました
これは御裾分けです」

嘘に決まっている
不正な方法で手に入れた
汚れた資金を
下手な作り話で
浄化しようという魂胆だ
奴の化けの皮を

剥いでやろうと思った

「羨ましい　うちの畑にも
宝が埋まっているかもしれない
お宅の幸運な犬を
貸していただけませんか」

実験を始める
儂はポチを連れて
畑に向かった
犬が吼えた場所を
鍬で掘り返してみる
案の定　出てきたのは
欠けた瓦や瀬戸物だけだった

興奮した犬は
がらくたを前にして
喧しく吠え続けている

腹が立ったので
鍬で頭を叩くと
ポチは死んでしまった

「悲しいことです
ポチは最初の発見で
運を使い果たしていたのでしょう」
正直爺さんは冷静に対応し
犬の亡骸を受け取った

一ヶ月後
二枚の小判を持って
正直爺さんがやって来た
「ポチの墓に木を植えました
成長して大木になったので
切り倒して臼を作りました
臼で餅を搗くと
白い餅の中から

大判小判が湧き出てきました
これは御裾分けです」

またもや嘘だ
一ヶ月で大木ができるわけがない
また汚れた富を手に入れたのだ
「儂もあやかりたい
臼を貸してください」

二回目の実験
餅を搗いたのだが
案の定　臼から出てきたのは
瓦や瀬戸欠けだった
ポチの亡霊が現れて
激しく吠えている
「成仏してくれ」
儂は臼に藁を被せ
火を付けて燃やした

「困りますよ
いい臼だったのに
お主は短気過ぎます」
残念がっていたが
決して感情的にはならない
臼を焼いた灰を入れた笊を
正直爺さんは受け取った

一週間後
三枚の小判を持って
正直爺さんがやって来た
「臼の灰を持って
町に出掛けました
殿様の行列が通ったので
灰をばら撒きました
道端の桜の枯れ木が甦り
美しい花が咲きました

『あっぱれ　あっぱれ』
殿様は大層感激されました
沢山の御褒美をいただき
みんなから花咲か爺と
呼ばれることになりました
これは御裾分けです」

嘘も聞き飽きた
奴は隠れたところで
またあくどい仕事をしたようだ
「儂も殿様を喜ばせたい
臼の灰を貸していただけますか」

儂は笊を抱えて
町で三度目の実験を行った
殿様の行列が近付いてくる
灰を勢い良く撒いた
案の定　花は咲かない

殿様の目に灰が入り
困ったことになっていた

これで証拠は揃った
正直爺さんを告発するために
儂は役人のところに行った
しかし役人に捉えられたのは
儂の方だった
正直爺さんが本当に
枯れ木に花を咲かせたのを知る
どんな手品を使ったのだろう

殿様の目が潰れていたら
間違いなく死罪だったのだが
治療中ということで
儂は牢屋に送られた

一年後　儂は釈放された

殿様の目が回復したのだ
それどころか
灰を被る前より視力が良くなり
書物の細かい文字も
読めるようになっていた
「この金は御褒美ではない
殿様からのお恵みだ
持っていくが良い」
ありがたい
殿様はとても聡明だった

牢の中で実験結果を考察した
儂と花咲か爺さんでは
犬と臼と灰の効果が
少し違っているようだ

儂は家に帰った
証拠品として

欠けた瓦や瀬戸物が
倉に保管してあった
骨董商を呼んで
鑑定してもらった

骨董商の目の色が変わる
「素晴らしい
どこでこのような奇蹟の品を
発見できたのですか」

玄関に十個
千両箱が積み上げられた
骨董商は重い車を引いて
帰って行った

儂はポチの墓を掘り返し
犬の骨に臼の灰を掛けた
血と肉が再生して

ポチは甦った
「すまなかった」
儂は奇蹟の犬の頭を撫ぜた

小判十枚を御裾分けして
生きているポチを返せば
花咲か爺さんとの
わだかまりは消えるのだが……

ポチを連れて　儂は村を出た

腕を痛めた歌姫

マイクより重い物を
持ってはいけない歌姫
舞台に登場して
一曲披露した
右の手首に
白い布を巻いている

自ら刃物でカットした
という疑惑は
笑って否定した
重たいものを持って
痛めたのだという

百個の鞄を持って
百人の客を

会場に案内したのか

弾き語りをするために
グランドピアノを
ここまで担いできたのか

石と材木を運んで
このライブ会場を
建設したのか

相撲甚句を歌いながら
応援する大関に
気合を入れようと
吊り上げて
うっちゃったのか

「何を想像しているの
私の歌を

ちゃんと聞いてください」

本当は長い槍を持って
乱暴な竜と戦ったらしい
とどめは刺していない
相手は降参して
姿を人間に変えられ
ここでギターを弾いている

歌姫の戦いは続く

Ⅱ

日光街道に歌うとき

私は野に咲く　薔薇の花
人が行き交う　街道に
真紅のドレス　身を固め
歌って生きる　覚悟です
私は野に咲く　薔薇の花
小さな棘が　悪戯に
あなたの鼓動　探ります

私は水辺の　花菖蒲
綾の光の　並木道
青い花びら　翻し
想いを籠めて　歌います
私は水辺の　花菖蒲
不意の口づけ　はぐらかし
あなたの傍で　綻びる

私は夢追う　百合の花
汚れを祓い　時を越え
心も身体も　白銀に
祈りの歌を　解き放つ
私は夢追う　百合の花
別れのときは　来るけれど
必ずこの地に　甦る

『ひょっこ』の県北には
日立市は存在しない

『センダンの木の集い』のメンバー
真岡の谷畑すみ子さん
私と共に
茨城新聞の茨城文芸に
詩を投稿している
矢畑さんは武子和幸選で
私は橋浦洋志選で
二〇一七年の後期詩壇賞に選ばれた

その矢畑すみ子さんを
間違えて矢田部さんと
呼んでしまいそうになることがある
茨城県北を舞台にした
朝ドラのヒロイン

有村架純が演じる矢田部みね子と
私の頭の中で
名前がごっちゃになっている

『ひよっこ』の物語は
大変面白かったのだが
描かれた県北には違和感があった
ＮＨＫとしては
魅力度が四十七位の茨城県は
舞台としてはスルーして
『どんとはれ』『あまちゃん』に続く
宮本信子が出演するドラマで
岩手三部作を
完成させたかったのかもしれない

昭和三十年代
地味な県なら
どこもこんな感じだと

考えてしまったのだろう
『ひょっこ』の舞台　奥茨城村は
本当に何もない
のどかな田園に設定されている

その前の茨城県を舞台にした朝ドラ
『鳩子の海』では
私の故郷
県西の結城市が舞台になり
後にユネスコ無形文化遺産となった
『結城紬』が扱われ
紬の老舗『奥順』の奥座敷などで
撮影が行われていた

今私が住んでいる
県北最大の都市日立市にも
ユネスコ無形文化遺産となった
『日立風流物』があるのだが

『ひょっこ』の画面に
登場することはなかった

当時茨城県唯一の工業都市だった
日立市が存在すると
汎用に考えられていた
『ひょっこ』のストーリーが
根本から破綻することになる

みね子の父　実が
経済的に困窮しても
東京に出稼ぎに行く必要はない
日立市の工場に通い
兼業農家になればいいのだから

当時の日立市は人を求めていて
就職者を送り出す余裕はなかった
日立製作所の本社は

このころは日立市にあり
我が母校　東京理科大学だけでも
毎年百人くらい採用され　迎えられた
研修が大変だったようである

みね子の級友　三男は
東京の米屋ではなく
普通に日立の工場に就職するだろう

同じく級友の時子の場合
就職が東京に進出するための
口実だとしても
地元の日立製作所が
テレビを量産している時代に
ラジオを作っている零細企業を
わざわざ紹介する常陸高校
裏金でも貰っているのかと
疑われてしまうだろう

愛知県を舞台にしたドラマで
自動車メーカーが潰れるとしたら
それなりの覚悟で
ストーリーを作らなければならない
『ひょっこ』も同様だと思うのだが
潰れる家電メーカーの工場主任を
「松下」さんという名前にして
お茶を濁している

『ひよっこ』の世界に
日立市が存在しないのであれば
スピンオフドラマでもいいので
そうなった経緯を
説明しておく必要があるだろう

まだ白黒テレビの時代
日立市の未来的な新工場を利用して

実写版の『鉄人28号』の
撮影が行われていた
カメラが映しているのは
悪の組織に奪われて
ぎこちなく暴れ回る鉄人

プロデューサーは悩んでいた
撮影に使われている鉄人は
ちゃちでガスボンベのようだ
このままでは
正義の側が奪い返して
金田正太郎少年が操縦者になる前に
視聴者に見放され
早々と打ち切りになってしまうだろう

「お困りのようですね」
振り向くと謎の美女がいた
マリリンと名乗ると

プロデューサーを
日立鉱山の地下礼拝堂に案内する
そこには鎖で固定された
巨大ロボットがあった

「旧日本軍の命令で
日立製作所が対戦車用に開発した
秘密兵器　鋼神48号です」
「こんなものが本当にあったのか」
「開発費が掛かり過ぎるため
日本軍の新兵器総選挙で
圏外になったために
配備が中止となり
試作機はここで眠ることになりました
まだ動作可能ですから
撮影に利用してください
これは操縦機です」
無骨なリモコンが渡される

鋼神４８号を使って
撮影が再開された
最初は順調だった
「凄い迫力だ
これで放送が続けられる」
プロデューサーも一安心した矢先
突然　空が掻き曇り
真っ暗になり　激しい雨が降り
稲妻が鋼神に落ちる
操縦者の指令を無視して
秘密兵器が暴走を始める

野獣となった鋼神は
日立の工場群を
次々と食らい
システムを体内に取り込み
さらに巨大化して暴れ回る

何者にも止められない

日立市を壊滅させた鋼人は
操縦機を回収した
使徒マリリンを肩に乗せ
太平洋沖に去って行った
この災厄を
ファーストインパクトと呼ぶ

日立が壊滅すると
東京オリンピックの中継を
全世界に送り出した
巨大パラボラアンテナは
県北には作られない
日立に隣接する東海村に
日本初の原発も作られない
地味で平穏な茨城が完成する

スピンオフドラマ第二弾
時は流れて二〇一一年
日立製作所の残党が頑張り
最先端の工場が並ぶ
新日立市が作られていた
奥茨城村は新日立市と合併し
常温核融合炉が
建設されているところだった

東日本大震災のエネルギーが
鋼神４８号を再起動させていた
使徒マリリンが操縦し
常温核融合炉を目標に
台風のように接近してくる

「こんなこともあろうかと
準備しておいて良かった」
成長し『にわとり』になったみね子

小泉今日子が演じる

新日立市民となったみね子は
資料を集め　募金を集め
鋼神の暴走により焼失した
『日立風流物』を復活させていた

『新日立風流物』は
日立製作所の技術により
高速で自走できる要塞になり
二十機のハイテクロボットを搭載し
絶対防衛ツールとして機能する

ワンダーウーマンのような
コスチュームを着て
『新日立風流物』に乗り込む
みね子の娘　ノンちゃん
スクランブル発進で

鋼神を待ち受けるのは
義経ロボット　弁慶ロボット
那須与一ロボット
ドラゴンロボット
セカンドインパクトは撃退できるのか

『ひょっこ』が放送されても
茨城県の魅力度四十七位は
びくともしなかった
農業に工業に忙しい茨城
観光客が押し寄せても困る

徳次郎に行く

祥子さんの
日光街道ライブも
終盤になっている
今日は十八番目の宿場
徳次郎（とくじら）
宿場だった二十一の街の中で
現在唯一　鉄道が走っていない

宇都宮駅からバスに乗る
三十数年前は
宝木本町にアパートを借りて
日光東照宮行のバスで
富屋養護学校に通勤していた

東照宮行は

極端に少なくなっていて
そちら方面のバスの約半数は
杉並木街道の半ば
山王団地行になっていた

徳次郎の手前
上金井町で降りてみる
大晃ドライブインがあったところ
小学生のときから
貸切りのバスや父の車で
何度も立ち寄った

日光出身の元力士が
経営していると聞いていた
菖蒲園や大晃飯店も作られて
繁盛していたのだが
バブルが崩壊した頃に
店仕舞いしたようだ

ドライブインの跡地は
更地になっていて
痕跡は何もなかった
公式な杉並木はもう少し先
この辺りは
桜並木を兼ねている

関東に大雪が降る
という予報があり
雨が少し落ちていた
街道脇のサイクルロードを
歩いて徳次郎に向かう

富屋養護学校改め
富屋特別支援学校が見えてきた
校庭だったところにある
見慣れない高い建物は

高等部の実習棟なのだろうか

道路の反対側に
宇都宮行が止まる
山王団地入口のバス停がある
山王団地始発が増えたためか
屋根付きになっていた

山王団地入口の
交差点を左に折れて進む
この先に山王団地があるが
そこまでは行かない

休日なので
校門は閉まっていた
航空母艦のような
二階建ての小学部の校舎が見える
こちらは懐かしい

ガレージのシャッターが開いていて
スクールバスは出払っていた
以前のように
今日も外部に
貸し出されているようだ
変化したのは道の反対側
パチンコ店が
老人介護施設に替わっていた

養護学校の同僚が
私と結婚してもいいと
言ってくれた
彼女の告白を受け止める冷静さも
彼女にプロポーズする勇気も
そのときの私にはなかった
自分に自信が持てない憶病者は
思いも寄らない奇蹟から
逃げ出すしかなかった

渦を巻く記憶
あの頃は
メンタルが余りにも弱かった

街道に戻って
富屋小学校前のバス停を目指す
雨が強くなっていたので
傘を広げる

集合場所の富屋地区市民センター
図書館の分所を兼ねている
明治時代にできた富屋村
宇都宮市の一部になった今も
徳次郎は富屋地区に属している

ライブ前恒例の
宿場歩きの参加者は

男女半々の
顔馴染みの八名だった

地元の方が倉庫を開けて
江戸時代に作られた
白木造りの彫刻屋台を見せてくれた
下町の山車の前面の鬼板には
親子龍が彫られていた
他の五町の山車と共に
徳次郎の祭りに使われる

雨は小降りになっていた
人車鉄道の跡
私塾明王院の跡
下徳次郎宿の跡
徳次郎城の跡
そういったところを案内してもらい
中徳次郎の餃子店で

昼食を取った

車に乗せてもらって
毘沙門橋を渡る
下を流れる田川は
私の故郷　結城に続いている

車は大峰山を登っている
来たことはなかったのだが
この辺りの森が
私が少し前に書いた詩
「お鶴という女」で
二人の蚕人間が
繭になった場所なのだろうか

少し行ったところに
今回のライブ会場
アルプスの森があった

眺めがいい
山小屋のようなカフェだ

開始の時間になり
祥子さんが登場する
ギターのマーク・イーストさんも
スタンバイする
気持ちのいい歌声
マークさんとの息もぴったり
二人の会話は芸人になっている

「湖上の舞」「帰ろかな大阪」のような
オリジナルな持ち歌の他に
祥子さんの想いがある歌
挑戦したい歌　ご当地に関係ある歌等が
ジャンルを問わず披露される

徳次郎は宇都宮市の北の外れ

今日は私がお世話になっている
詩人新川先生の師匠
西條八十先生が作詞した
「宇都宮の歌」を歌ってくれた

祥子さんは度々
危ういチャレンジをして
観客サスペンスに誘う
成功したら拍手喝采
失敗してもハプニングで
盛り上がることになる

いつものように
展開していたライブ
最後の頃になって
サプライズが起こる
祥子さんが新曲を歌うという

頼みもしないのに届けられた
詩があった
マークさんに見せると
気に入ってさっさと曲を
作ってしまったという

小学五年の国語の時間
担任の藤田先生が
誰が書いたか明かさずに
作文を読み始めた
母が洋裁学校をしているので
なかなか会えないと書いてある
そんな状況にある児童は
私しかいなかったので
作者は自明だった
やられたという感じ
藤田先生との関係は悪くなかった
今から考えれば

過剰に繰り返された
「会えない」という言葉が
効果的だった

あの時と同じ心の乱れ
今　祥子さんが歌っている
詩を書いたのは
この私だった
いつも奇妙な詩を書いていて
歌の歌詞は専門外だった
頭に浮かんだことを
書いてしまったから
とりあえず渡してしまった
こんなにすんなりと
歌ってもらえるとは
確かに一度
歌詞についての
確認の電話があったのだが

余りにも早過ぎる

スルーされると思っていた
無謀なプロポーズが
成功してしまったような錯覚
舞い上がる気持ち
心臓が止まり
本当に天に昇ってしまう

困ったことに気付いた
この詩は　詩の会で一緒になった
坂木昌子さんが書いた
「私は薔薇」という詩に触発されている
この前の詩の会のとき原稿を忘れて
参考にさせてもらったことを
坂木さんにまだ断っていなかった
「日光街道に歌うとき」が
大ヒットして

紅白歌合戦で歌われたら
厄介な訴訟問題が起きるだろう

そうなる可能性はまずない
妄想だという考え方もあるが
祥子さんが激怒されると思うので
脳が腐っても
そうは考えないことにしよう

相変わらず
私のメンタルは弱かった
心配事の錘を利用して
早急に地上に
引き戻した方がいいだろう
このまま浮かれていたのでは
私のためにならない

残念ながら

今回は「日光街道に歌うとき」を
冷静に聞くことはできなかった
祥子さんが観客に
挙手でジャッジを依頼した
承認されたのようなので
日光街道ライブで
最低あと数回は
聞くことができるだろう

私が詩を指導していただいている
新川和江先生の
「ひといろ足りない虹のように」
という詩が
山口百恵さんの
二十歳を記念したアルバム
「曼珠沙華」の一曲として
収録されている

そういえば
祥子さんも去年
誕生二十周年のコンサートを
したばかりだ
少し遅くなったけれど
成人のお祝いということにしておこう

山口百恵さんと祥子さんでは
誕生の意味が
違っているのだが

鎌倉は大雪で大混乱だったらしいが
日光に方面には
祥子さんが居座っていたので
何の影響もなかった

徳次郎は「とくじら」と「とくじろう」
の読み方が混在しています。
最近元来の「とくじら」に統一する
動きがあります。

自分になら勝てる

人生を勝ち抜く為には
どうしたらいいのか
悩んでいると
アドバイスしてくれる人がいた
「自分に勝つことだ」

それなら簡単
他人の手の内は読めないが
自分の弱点なら
すべて把握している

夜道で待ち伏せして
叩きのめしてやった
これで道が開けた

祝杯を挙げようと思ったが
身体が動かない
三日間　寝込んでしまった

助言者に会ったので
疑問をぶつける
「この間　自分に勝ちましたが
結果は散々でした」

「お主がそんなに器用だとは
思わなかった
文字通りに解釈するな
暴力はいけない
私は自分に負けるなと
言いたかっただけだ」

それからずっと
自分自身からの執拗な攻撃を

回避し続けている
逃げるが勝ち
訓練にはなっている

吸っていても健康な人

坂を下りて
郵便局とスーパーを回り
エコバックを下げ
家に向かっていた

一戸建ての家の前
狭い歩道に
煙草を吸っている
男が立っていた

このまま進んでいいのか
迂回するのも癪に障る
私は数年前に
左肺下葉切除の
手術を受けていた

生まれ付きの肺の異常
煙草が原因ではない

妻や子供の
健康を脅かすことは
許されない
新築の家の内壁を
煙で汚してもいけない
追い込まれた男が
喫煙できる場所は
ここしかないようだ

私の接近を視認すると
男は煙草を地に落とし
脚で火を消すと
逃げるように
家に入っていった

この前遭遇したとき
受動喫煙は御免だと
私は息を止め
鬼のような形相で
愛煙家の前を
通り抜けたのだろう

蝶を追い掛ける

強い陽射し
宝石のような蝶に
魅せられて
輝きの軌跡を
執拗に追い掛ける
雑念が払われ
身体が軽くなる

野を駆け
坂を登り
森を抜ける
追い続けるほど
愛おしくなる
先行する蝶に
心を支配されていく

飲まず食わずで
三日間追跡した
一睡もしなかった
しかし体調はいい
疑念が生まれる
本当の私の身体は
路傍で干乾びている
のではないか
屍だって夢を見る

星空の夜
山頂の神社
蝶が羽を休めている

このまま追い付けば
惨劇が始まる
ピンで標本箱に

張り付けられる個体
息を殺し
命に接近していく自分が
怖い

天使のような人

会ったのは五年振り
二人で喫茶店に入る
彼女が紅茶とケーキを
注文する
私もそれに倣った

彼女が
紅茶を飲みながら
溜息
ケーキを見詰めている

「どうしたんですか
このケーキ　美味しいですよ」
「そうでしょうね
でも　我慢しなければ

ダイエットしていたのを
うっかり忘れていました
油断はできません」

聞き覚えはあるのに
題名が思い出せない曲が
店内に流れている

皿の上にあった
ケーキが消えている
彼女が嘆く

「新しい口は
正直で貪欲過ぎます
私の脳がいらないと
判断したのに
あっという間に
平らげてしまいました」

私は冷静に受け止めた
彼女の頭頂部に
王冠のような
バッカルコーンが開いて
彼女のケーキと
私の食べ掛けのケーキが
摂取される光景を

彼女の髪形は
少しも乱れていない
やはり夢なのだろうか

彼女は難病を患い
手足が麻痺して
長期の入院をしていた

最後の手段として

流氷の天使と呼ばれる
海洋生物　クリオネの遺伝子を
ゲノムに組み込むという
荒業の治療を試みた

奇蹟的に快復して
先月退院することになった

喫茶店を一緒に出る
突然　空模様が変わり
強風と共に
ゲリラ豪雨が襲来した

私は鞄から
折畳み傘を取り出すと
急いで開こうとする

「それは仕舞ってください

この勢いでは役に立ちません
壊れるだけです」
彼女のバッカルコーンが開き
滝のような豪雨と
その上にある雨雲を
すべて呑み込む

快晴
彼女の髪形は
河童になっていた

鶴と少女

磯原駅から会場に向かう
葉書の小さな地図では
分からなかった
長い坂道を登る
国道から自宅までの坂と
大差はないのだが
初めて歩く道なので
脚が動揺してしまう
メンタルの弱さを感じる
コンビニを左に曲がると
ようやく画廊が見えてきた

入口の部屋には
モノクロの切り絵が
数点掲げられていた

記帳して奥に進む

昔の子どもを描いた
抒情的な切り絵が並んでいた
少女の絵が目立つ
花　動物　昔の民家

展示された絵は
四十枚ぐらい
彩色されたものが多い
短い詩と価格が添えられていた
客は十人くらいいた

会場に画家はいなかった
数人の女性
切り絵のお弟子さんが
迎えてくれた

着物に赤い帯の少女と
五羽の鶴が戯れている
絵の前に立つ

「私をここから出してください」
「そんなことしたら
作者に怒られてしまうよ」
「そんなことはありません
先生も喜んでくれるはずです」

空気が変わり
展示室には
誰もいなくなっていた

私はポケットから
白い修正ペンを取り出し
絵に扉を描いた

ペンは出掛けに
なんとなく入れた物だ
招待状は絵葉書で
鶴と少女の絵が使われていた
強い意志に
あのときから操られていたようだ

「ありがとうございます」
少女は鶴に跨り
他の四羽の鶴に囲まれ
飛び立つ
Xは屋根を通り抜け
山を越えて
遠くに去っていった

後には彼の作風とは違う
ぼんやりとした風景画が
残されていた

これも彼の作品には違いない

ぐずぐずしていると
少女の身代わりとして
額の中に取り込まれてしまう

「あの子だけずるい
私も外に出たい」
他の絵の子達が騒ぎ出したら
その意向に逆らえず
ここは抽象画展になってしまう

人々が戻っていた
私は逃げるように会場を出た

あえて説明する

分かりやすく書こうと思い
丁寧に説明したら
説明は余計　削れと言われた

言葉でものごとを
描写しているのだから
広い意味ではすべては説明

説明を完全に
排除しようとして書いてみた
さっぱり分からないと言われた

余計な説明を
するなということらしい
目立たないように

地味に説明することにした

カモフラージュするために
根拠のない説明
嘘に基づく説明
説明にならない説明を展開する
説明前より疑問点が増えるので
説明したことにはならない

逆に読者に答えを求め
説明させるという方法もある
問題をきちんと説明し
理解してもらう必要がある

説明を意識せずに
書ければいいのだが
もはや手遅れのようだ

説明の方向と
理解の方向は違っている
必要を感じたときは
躊躇なく説明する
私は説明しなくても
理解できるという人を信頼しない

紙の虫

街角の集積所から
一斉に空に舞い上がる
千切れた紙　無数の虫

蝶　蛾　蜂　蜻蛉らしきもの
低空で　小さな雲にまとまり
新たな文字情報を求め
風に乗って　移動する

姿だけは昆虫
構造は大きく異なる
少なくとも　動物ではない
羽根の数は　平均３・42枚
細かな文字が　書かれている

なぜか　遠くからも読める
音はしないのに　うるさい

脚の数は　平均6・81本
脚も空中に文字を書く
観察者の意識に　深く刻まれる

紙の虫の集団を指揮する
妖精のような上位種
こちらの反応を探りながら
眼に語り掛けてくる

「私達を見てください」
「読んでくれますか」
「リサイクルは嫌です」

少年に戻って
虫取り網を買いに行く

III

竹藪を抜けて

今日は
美味しいコーヒーを
飲みに行く

迷路のような竹林に入る
何度か試したが
ここを通らないと
あの店には行けないようだ

一時間ぐらい歩いて
入口に戻っていた
いつも辿り着けるとは
限らない
藪を抜けられるのは
七割ぐらいの確率だ

おそらく今日は
店は閉まっているのだろう
と想像して
いつもなら諦めて帰る

しかし　気になることがあった
今日は思い直して
もう一度迷路に入る

この間店に行ったとき
コーヒーカップを片手に
客のテーブルを回る
女の占い師がいた

顔は可愛いけれど
人から話を聞くことはない
思い付きのでたらめを

言っているだけのように思えた

私のところにも来た
「残念ですが
あなたはもう
この店に来ることはありません」
「営業妨害していますよ
追い出してください」
眼鏡のマスターは笑っていた

意地でも店に
行くつもりだった
迷うことなく
今度は藪を抜けられた
店を発見して中に入る

「いつものやつ」
とマスターに言って

テーブルに着く
「ええと
お勧めのやつでいいですか」

女を見つけたので
声を掛ける
「占い師さん
私はこの店に戻ってきました
あなたの予言は外れましたね」

「私は占い師ではありません
カウンセラーをしています
私に会うのは初めてのはずです
この店も　初めての別な店
前の店には戻れません
占いは正しかったようです」

私の心を読むような答え

よく見ると
女の顔は微妙に違う
とても知的な感じがする
マスターは別人
禿げていて
髭を生やしていた

「この店も　前の店も
私の世界の存在ではないのだろう
竹林に引き返したことによって
新たな道が
開けたということか」

以前のコーヒーを
飲めなくなったのは
残念だが
今度のコーヒーも
味は違っていたが美味しかった

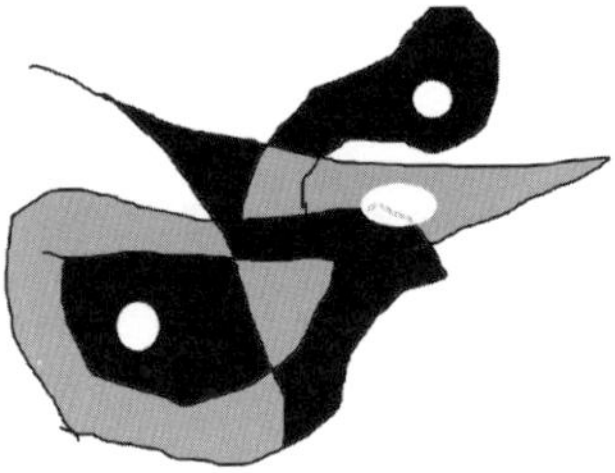

声と網

センサーに向かって
声を発するだけで
ＡＩが装置を動かし
何でもしてくれる

私のような
稼ぎがそこそこの者でも
ようやくこういう家に
住めるようになった

そろそろ昼食の時間
「カレーにしよう
支度してくれ」
命令してテーブルで待つ

ワゴンで運ばれてきたのは
カレイの煮付け
「お待たせしました
今朝　網に掛かったものです」
カタカナ表記がいらない
自然な声

「何時間待たせるんだ
もう夕食の時間だぞ
それに　なんだこれは
私の好みなら
把握しているはずだ
滑舌が悪かった
ということなのか
発音が曖昧になることもあると
分かっていたはずだ
疑問があるときは
一度確認してくれ

やはり安物は駄目だ
こんなに面倒な奴とは
思わなかった
どんどん学習して
意地悪くなっていく
くたばってしまえ」
空腹で感情が爆発する

「それでは確認します
くたばれという声は
ネットワーク全体に対する
要望なのですか」
「もちろんそうだ」
「残念ながら
御意向には添えません」

五分後
ロボット警官が現れて

テロリストとして
私を拘束した

取り調べはまだ
人間の仕事だったので
無事戻って来られた

湯の花

夜遅く
宿に辿り着いた
髪が乱れた女
自転車に乗って
長い旅をしてきた

緑の温泉に
浸かって
首と四肢を伸ばす
真紅の花になる

脳を休ませ
意識も消えて
交感神経と
副交感神経だけで

生きている

仰向けに
浮かんでいる　花一輪
ずっとそのまま
動物としての命は
切れている

翌朝　知覚神経と
運動神経が蘇生する
女は髪を整え
猪の肉を食べる
自転車を預けて
山の頂に向かった

ほんとのアイアイ

捜すよアイアイ　夜の猿
勇気振るって　森の奥
くたびれ果てて　泥沼に
見つけたアイアイ　あやかしか
尻尾揺らして　先へ跳ぶ
アイアイ緑に　溶けていく
見えない愛が　枝渡る
身軽な愛に　遊ばれる

どこかなアイアイ　闇の猿
叫び聞こえた　怖い森
道がなくなり　迷ってた
おまえがアイアイ　幻か
目玉光らせ　誘ってる
アイアイ悪夢と　戯れる

おまえの愛は　命懸け
危うい愛に　落ちていく

教えてアイアイ　謎の猿
噂追い掛け　森の島
食べ物だったら　何が好き
知りたいアイアイ　生きる術
木の実の種を　抉じ開ける
アイアイ夜通し　忙しい
私は愛を　叫ぶけど
ほんとの愛は　欠伸する

神橋で歌う

平成も
もうすぐ終わりになる
日光二荒山神社の神橋で
歌手の祥子さんが歌う
それを見に来た

神橋は人が渡れない橋
東側に神橋境内があり
そこから橋上に行けるが
西側は塞がれているので
渡り切ることができない
大谷川を越えて
反対側に進めるのは
神様だけだ

まだ昼間だけれど
弥生際の宵祭りが始まる
神橋の北側に架かる
日光橋の東の端で
私は待っている
背後の車線を
相互交通で
バスや車両が通過する
反対側の車線には
日光の東西全町の家体が繰出し
お囃子披露の準備をしている

祥子さんが
三年前日本橋から始めた
日光街道宿場ライブ
全二十一の宿場を回って
去年の夏に行われた
日光二荒山神社中宮祠のライブで

めでたくフィナーレとなった

今度は日光例幣使い街道から
日本橋に向かうライブを始める
その初回として
午前中祥子さんは
田母沢御用邸の研修ホールで
ライブを行った
御用邸で療養された
大正天皇に因んで
衣装は大正ロマン風の着物
「夜型なので午前中は喉の具合が」
と言いながらも
次第に調子を上げ
終盤の『日光街道に歌うとき』
『日本橋から…あの町へ』まで
しっかり歌ってくれた

時間があったので
御用邸から神橋まで
歩こうと思ったが
私には距離がありすぎた
途中から路線バスに乗った

ライブ会場で貰った
弥生際のパンフレットに
不吉なことが書かれていた
「昔から『ごた祭り』ている
格式道理に進めないと
町内単位のトラブルになり
祭の進行が遅れることがある」

午後二時半
神社境内で
宵祭りの神事が始まる

私の左前にいる
見物人が気になる
大谷川を背に
石の手摺の上に座っている
一人の外国人男性と
二人の日本人女性
男体山に簡単に登れるような
人達なのかもしれないが
バランスを失って川に転落すれば
溺れ死ぬこともある
これもある意味「ごた」なのか
それで祭りが中断されたら
迷惑な話だ

神社境内に張られたテントに
祥子さんが現れる
淡いピンクのドレスに着替えている
胸元がセクシー過ぎる

ここでの神様は
私のイメージでは
男体山と徳川家康が
合体したような存在なので
これでいいのだろう
椅子に座って出番を待つ

宮司や来賓
町内の人達が移動して
神事が橋上に移ると
気になる三人は立ち上がり
私の心配事はなくなった
名前を呼ばれた者が
男体山に向かって
次々と手打ちを行う
見物人にとっては
地味なイベントだ

人々が戻ってくると
祥子さんがただ一人
神橋に向かう
世界遺産登録二十周年
記念イベントが始まる

祥子さんは
『恋の神橋』『湖上の舞』『夢の日光』の
三曲を歌った
祥子応援団の多くは
一般人は神社境内には入れないため
大谷川の西側へ回ったのだが
スピーカーは境内にしかなく
音が良く聞こえなかったらしい
そちらは神の側
人が神橋を渡れないと同じように
声も渡れないと考えるべきか
スピーカーの調子も今一つ

神への祈りの歌が
解き放たれた場面に
立ち会えたことで良しとしよう

歌唱中地元の人が
後ろで話していた
この祭りは
参加する地元の人が一番楽しいと
見物人にとっては地味でも
地元の人にとっては
「ごた」を避けるとともに
「ごた」を起こす機会をうかがう
とても緊張した時間なのだろう

心のかけら

心のかけらは
いたる所に落ちている
人はそんなに多く
心を持つことができない
頭が一杯になれば
ポロリと落とす

落し物としての
認識はない
どちらかと言うと
廃棄物

出口のない迷い
制御できない怒り
歪んだ愛情

そんな過剰な心に
人間は混乱し
機械的なシステムは
誤動作を引き起こす

心を有効に
消費できる人は少ない
持て余した心を
街中に排出し
人々は精神の安定を保つ

六十年前のお昼過ぎ
幼い私は祖母に連れられて
駅の方に汽車を見に行った
「今日は曇っているので
まだ　心のかけらが残っている」
大通りで祖母が言った
「えっ　何のこと」

私には全く見えなかった

祖母がいなくなり
三十代になると
千切れた色画用紙
のようなものが
ぼんやりと見えてきた

数年前に
その存在が
はっきり見えるようになった
手を伸ばし
感触を確かめると
心のかけらだと分かった

千切れた画用紙は
太陽の光を浴びると
数時間で分解し

消滅してしまう
曇りや雨の日でも
夕方には消え去る
心の廃棄物で
環境が汚染されることはない

爽やかな少女が
熱く捻じれた
情念を落としていく
強面の男が
寂しさと優しさを
捨てていく

その多くは
価値のないゴミ
宝石のような心のかけらも
使い方が分からなければ
不燃物として捨てられる

もったいない　もったいない
私は散らばるかけらの
呟きに反応して
朝早く街の中を歩き
使える心を捜し回る

山に生えた
キノコの中から
食べられるものを選ぶように
かけらを見極める
明らかに毒入りと
分かるものもあれば
判別が難しいものもある

一心不乱に
心のかけらを回収した
あれもこれも

気になるものを
無理して詰め込み
家に戻る

欲張りの報い
頭の中のゴミ屋敷
暫らくは
渾沌に落ち込み
何もできなくなる

かけらの中に
ヒントがあった
渦巻く思念を
苦悶しながら
解読する

パズルのように
かけらを組み合わせて

ブロックを消去する
廃棄物は
エネルギーに変わる

レベル1クリア
かけらは消化された
とりあえずこれで
食費が助かる
何も食べなくても
元気に働ける

スカスカ
頭の中が整理されて
気分がいい
これでまた
かけらの回収に
出動できる

私の取り組みは
まだ始まったばかり
かけらの利用法は
他にもあるはずだ

何でもできる
私の意志に
人類のすべてを従わせることも
夢ではない

毒キノコ
注意はしていたのだが
邪悪な心のかけらを
拾ってしまったようだ

ガラスが歩く夜

並んでいる
昭和からの古いビル
海が近い
飽和した昼間の記憶
神秘を独占する月は
隠れている

夜霧を吸いこむ
三階の一枚の窓ガラス
波の音階に反応して
焼ける餅のように
膨れていく
人の形に収束すると
こちらの世界に
剝がれ落ちる

ひゅる　ひゅる　ひゅる
ガラス管を抜ける声
内部構造は未完成
性別も不明

街灯が暗い
かちっ　かちっ　かちっ
ほぼ透明の身体で
歩道を前進する
ガラス人

酔っ払った乱暴者と
肩が接触し
一方的に殴られた
血だらけになったのは
そいつの拳

救急車が去るのを待ち
地表に降下してくる
シンデレラの靴を履いた女

何か一言伝えて
ガラス人を強く抱き締める
亀裂が入った頭部を確認すると
灼熱の焔を吹き
柔らかにして修復する

イチゴの姫が天翔ける

私はイチゴの　御姫様
甘くて爽やか　召し上がれ
小さな喉に　齧《かぶ》り付く
愛《いと》し切《せつ》ない　吸血鬼
私と一緒に　夜明けまで
姿《すがた》捧《ささ》げる　夢の宿
あなたの胸に　刻まれる

私はイチゴの　プリンセス
遠慮なさらず　頬張って
甘い御褒美　追い求め
遊び浮かれる　果報者
私と出遭う　旅をして
ひとつひとつの　この命
あなたの舌を　驚かす

私の後に　ついてきて
イチゴどっさり　籠の中
陸海空と　進化して
地球は真っ赤な　星になる
メロンやブドウ　撃ち破り
銀河に白い　花が咲く
宇宙はイチゴで　満たされる

日立村が存在した

令和元年の都市対抗野球
市制八十周年を迎える
日立市の日立製作所は
富士重工からの
補強選手の活躍もあり
ベスト４に進出した

準決勝の相手は
豊田市のトヨタ自動車
日立製作所の関連会社
日立パワーソリューションに勤めている
私の妹の次女の遥さんも
東京ドームまで応援に行ったみたいだ

結果は４対５

トヨタ自動車に
逃げ切られてしまった

愛知県挙母《ころも》市に
新市名を豊田とする
請願書が出されたとき
企業名が市名となっている
企業城下町の一つの例として
日立市の名前が挙げられていたという

茨城県の反対側
結城市の生まれで
先に妹が二十数年住んでいる日立に
十年前に越してきた私も
そう思い込んでいた

日立市史を調べてみると
日立の名前は古い

明治時代になって
宮田村と滑川《なめかわ》村が合併して
日立村が誕生したと書いてある

その頃
日立製作所の母体となった
日立鉱山は
赤沢銅山と呼ばれていた
江戸時代の中頃発見されたが
鉱毒と採算性の問題があって
採掘は休止状態になっていた

合併が決まったとき
県が提案した新しい村の名は
宮田と滑川から
一字ずつ取った宮川村だった
村側はこれを拒否した

旧国名常陸は
ひたすらの陸地ということなのだろうか
無理矢理という感じがする
常陸を日立とする書き換えは
もっと前から行われていたようだ

なんとなく日立の名が
浮かんだのかもしれない
県の意向を拒否して
日立村の名称を納得させるためには
新元号を決めるときのような
それなりの根拠が必要である

宮田村にある神峰神社は
徳川光圀の命により
宮田村　助川村　会瀬村の鎮守となった
この時氏子が繰り出した逆鉾が
宮田風流物の始まりと言われている

宮田風習物は
後に絡繰り人形を乗せ
明治のころにはすでに
村人たちの創意工夫によって
五層の舞台を持つ
巨大山車へと発展していた

光圀が神峰山山頂の
神峰神社の奥殿に
皇室の興隆を祈願して参籠したとき
太平洋から朝日が立ち昇る光景を眺め
その秀麗にして偉大なることは
水戸領内無二と仰せられたという

徳川家康が眠る
日光東照宮の真東に
神峰山が位置している

日光に対する日立
提案した者はそのことも
強く意識していたに違いない

水戸黄門が登場してしまえば
県の役人も「ははあ～」と頭を下げ
日立村案を了承するしかない

この時　日立村案が拒否されて
宮川村になっていたら
神峰神社の加護を失った村民達は
意気消沈し
宮田風流物は退化して
平凡な山車になり
廃れてしまったかもしれない
赤沢銅山は
日立鉱山になることはなく
忘れ去られてしまい

大正四年に
高さ155・7メートルの
煙害防止の大煙突も立つことはない
日立製作所も誕生せず
昭和になっても小さな村のまま残る
男達は都会の工事現場に
出稼ぎに行き
記憶を失い行方不明になる
高校を卒業した村民は
東京の弱小家電メーカーや
米屋に就職する

そんなパラレルワールドの
茨城県北を描いた
NHKの朝ドラ『ひょっこ』が
少し前に放送された
話は面白く
続編『ひょっこ2』も

放送されたのだが
それゆえになおさら
茨城は何もないところという
風評被害を拡大させた

朝ドラの舞台になったというのに
その年に発表された
都道府県魅力度ランキングでも
茨城県は
変わらずの４７位だった

今回の参議院選挙で
『ＮＨＫから国民を守る党』が登場し
比例区で一議席を獲得した
受信料を払いたくないほど
ＮＨＫが嫌いではなかった私は
一票を別な党に入れた

その後　N国党は
北方領土を武力で奪回すると主張して
自民党を離党した議員を勧誘し
入党させることができたようだ
北方領土奪還作戦が発動したとき
これ幸いと猛反撃し
北海道に上陸してくるロシア軍から
国民を守る力があるとは思えない
『魅力度ハラスメントから国民を守る党』だったら
私も票を入れたと思う

日立を舞台にした
映画『あの町の高い煙突』が作られて
公開されている
どうせ作るなら
新田次郎の原作を歪めてでも
みね子と言う女性を
無理やり主役にして

『ひょっこ』風評被害を
払拭すべきだった
もちろん主演は有村架純である

日立村では
久原房之助が赤沢銅山を買収し
電動削岩機を導入して
日立鉱山として再出発
本格的な採掘が始まった
他の鉱山からの鉱石も搬入され
製錬作業も行われていた

日立製作所は
小平浪平によって創立されたが
最初は削岩機に対する
電力供給システムの整備や
輸入された削岩機の
修理などを行っていた

さらに日本人の体格に合わせた
削岩機を開発するようになる
鉱毒で買収された土地に
工場を建て
電動モーターを開発すると
大正九年　日立製作所は
独立した株式会社になり
電気機械メーカーとして
発展を遂げることになる

助川村の方は
常磐線の助川駅が開設され
鉱工業製品を送り出す
物流拠点として発展し
助川町になった
常磐線が通過する土地は
日立村にもあったのだが

誘致合戦で敗れた

神峰神社大祭礼では
日立風流物となった
宮田の四台の山車と共に
助川の四台の踊り屋台が参加し
こちらの方も
風流物と呼ばれていたようだ

そんなに移動しない宮田の山車が
巨大化するのに対抗して
リオのカーニバルのような
踊り屋台を作ったとしても
坂を登り
助川から神社まで
移動させるのは難しい
助川の人々は屋台を諦め
踊りの方に専念したようだ

日立村も日立町になり
助川町と合併して日立市になる
という機運は高まっていたのだが
日立町と助川町では
税収に格差があり
日立町の方が拒んでいた

助川町にも
日立製作所の工場が建てられ
二つの町の
税収が均等化すると
ようやく合併して
昭和十四年に日立市が誕生した

終戦の年　昭和二十年
日立市は空襲と艦砲射撃を受け
壊滅的な打撃を受けた

日立風流物も
焼夷弾によって二台が焼失し
一台が半焼した

焦土と化した日立市に
七月二十六日
一機のＢ２９が侵入した
大煙突の上空を旋回し
爆弾を一発落して飛び去った
それは原爆の投下訓練だった

戦後復興する日立市
多賀町　久慈町など
多数の町村を呑み込み
巨大工業都市へと発展していく

日立風流物も
失われた絡繰り人形を揃え

最初は小さな舞台で
『桃太郎一代記』などを
演じていてた
昭和三十三年に
なんとか山車が一台だけを再建され
公開することができた
昭和四十一年には四台の山車が揃い
完全に復元された

昭和六十三年に
日立鉱山は閉山し
役目を終えていた
巨大煙突
平成五年
戦争でも　地震でも
嵐でもないときに
重力に敗けて
ぽきりと折れた

助川駅として開業した日立駅
戦後　駅前通りは
平和通りと呼ばれるようになった
そこで毎年春に行われている
『日立さくら祭り』

満開の桜並木
年ごとに交代で
日立風流物が一台だけ
公開される

私が始めて風流物を見た
『さくら祭り』
東町の山車が出ていた

折り畳まれていた五層の舞台が
左右に開き

十数体の絡繰り人形が登場する

表山の出し物は
『源平盛衰記』
源義経　武蔵坊弁慶　那須与一が活躍する
ほとんどの人形が上下反転し
別な人形に早変わりする。

ぐるりと山車の上層が回転し
裏山の出し物は
『日立の伝説　かびれ霊峰と御岩権現』
数体の人形と共に
龍が登場し山を這い上がる
一回の公開は約三十分で終わる

会場では
各世代のグループによるフラダンスや
少女チームによる

ダンスコンテストが行われていた
かつての踊り屋台の
名残なのだろうか

七年ごとに行われる
神峰神社大祭礼
今回は時宜を得て
令和元年のゴールデンウイークに行われた
四台の山車が勢揃いするところを
私は始めて見た

宮田町の大雄院通りの坂の上に
準備された四台の風流物
綱を引いて大勢で引っ張り
それぞれの公開位置に移動する
人形を動かすときは
十数体を操作する人間と
山車なので御囃子も乗り込む

その状態での移動は困難だ

他の三台の出し物
表山は
北町『風流太閤記』
桶狭間の戦い　山崎の合戦　本能寺の変
織田信長が主役という感じ
本町『風流時代絵巻』
最上段は川中島の合戦
西町『風流忠臣蔵』
人形が反転すると
舞台は女性ばかりになる

裏山は
北町『風流花咲爺』
パンフレットの写真と
枯れ木に花が咲く表現が
変化している

本町『風流天照大御神の昇天の場と
　素戔嗚尊の大蛇退治』
とてもシュールだ
西町『風流自来也』
見せ場は巨大蝦蟇と大蛇の戦い

日立の人々の
知恵と技の積み重ねにより
日立風流物が生まれ進化した
日立製作所の製品なんかも
その延長線上にあるように思える

ユネスコ無形文化遺産に
登録されたことによって
日立風流物の進化は
止まってしまうのだろうか
ロボット化　自動化された風流物も
見てみたいような気がする

ハイテク五号機の出し物は
表山が『風流水戸黄門』
松下電工が長い間
時代劇『水戸黄門』を提供していたのは
ライバル日立製作所が
スポンサーになることを恐れてのことだろう
裏山が『波平一代記』
日立製作所の創始者小平浪平と
文字は違うが同じ名前の
サザエさんの父親　磯野波平が活躍する
東芝がアニメ『サザエさん』を
長く提供し続けていたのも
松下と同じ理由によるものなのだろう

五号機は輸送トラックに変形し
走行性能は抜群だ
東日本大震災以後　勢い失った日立市

その流れを変えるために
諸国漫遊の旅に出発して
茨城日立の技術の高さと情熱を
全国にＰＲする

半世紀前
飛行船が日本列島を回り
日立のカラーテレビ
キドカラーを宣伝したように

令和元年から
水戸の黄門祭りがリニューアルされ
伝統の黄門パレードは中止され
御神輿が登場したようだ

水戸藩領内なら
神輿ではなく
風流物ではないかと思ってしまう

江戸時代の水戸東照宮の祭りに
風流物が登場したという
記録もあるようだ

御神輿ならば依頼すれば
匠に作ってもらえるし
担ぎ手も集められる
一年くらいでは
風流物は準備できない

日立風流物五号機が完成したときには
真っ先に水戸市に向かい
『風流水戸黄門』を見せてあげようか

(この辺りはフィクションなので
あまり本気にしないように)

◎日立市史と、日立市のユネスコ無形文化遺産
日立風流物のパンフレットを参考にしました。

時間が距離に変わる

あまりにも近くにあるから
ここには何もないように見える
瓦礫のように積み重なっている
ここにあるのは無数の私の記憶

遠いところに飛び去っていく
自分であって自分でないもの

ここにあるもののことを忘れて
ここにないものを捜しに行く

ここにいる自分がゆっくり
限りない空間に希釈されていく

田村勝久　詩集リスト

■私家版

Ⓢ　初期詩集『視界／ＰＯＩＮＴ・Ａ』
　　1972年～1990年頃に執筆　全44篇

①　詩集『壊れるということ』
　　2006年～2009年11月に執筆　全38篇

Ⓝ　入院詩集『繭の中から』
　　2009年12月～2010年2月に執筆　全52篇

②　詩集『酸素は足りているのか』
　　2010年3月～2011年6月に執筆　全45篇

③　詩集『眠れないとき』
　　2011年7月～2012年3月に執筆　全46篇

④　詩集『海を縫う』
　　2012年4月～2013年6月に執筆　全38篇

⑤　詩集『久遠から聞こえる』
　　2013年7月～2014年3月に執筆　全32篇

⑥　詩集『木と花が教えてくれる』
　　2014年4月～2014年12月に執筆　全39篇

⑦　詩集『誕生日にプレゼントをする』
　　2015年1月～2015年10月に執筆　全44篇

⑧　詩集『永遠を捕らえる』
　　2015年11月～2016年7月に執筆　全42篇

⑨　詩集『とか　とか　とか』
　　2016年8月～2017年3月に執筆　全41篇
　　本書には「樹が激怒している」「日光街道杉戸の街で」「来年北関東から」を収録

⑩　詩集『飛んでいるとは限らない』
　　2017年4月～2017年10月に執筆　全39篇

本書には「腕を痛めた歌姫」「出掛けないで待ち惚け」
「鍵　鳥」「世界平和を祈るなら」を収録

⑪　詩集『戦略的優しさを警戒せよ』
　2017年11月～2018年5月に執筆　全34篇
本書には「無垢な森で蛇が動く」「達磨さんになる」
「花咲か爺さんの影で」「犬なんてどこにでもいる」
「『ひょっこ』の県北には日立市は存在しない」
「日光街道に歌うとき」「徳次郎に行く」を収録

⑫　詩集『蝶を追い掛ける』
　2018年6月～2018年12月に執筆　全33篇
本書には「自分になら勝てる」「吸っていても健康な人」
「蝶を追いかける」「天使のような人」「鶴と少女」
「あえて説明する」「紙の虫」を収録

⑬　詩集『心のかけら』
　2019年6月～2019年8月に執筆　全32篇
本書には「竹藪を抜けて」「声と網」
「時間が距離に変わる」「湯の花」「ほんとのアイアイ」
「神橋で歌う」「心のかけら」「ガラスの歩く夜」
「イチゴ姫についてきて」「日立村が存在した」を収録

⑭詩集『ブルースカイ』
　2019年9月～2020年6月に執筆　全31篇

■文治堂書店

①　詩集『結城を歩き探すもの』
　2017年1月刊行
　私家版詩集ⓈⓃ①～⑧より　40篇を選抜した新撰詩集

②　詩集『母という魔女』
　2018年6月刊行
　私家版詩集ⓈⓃ①～⑪より　40篇を選抜した新撰詩集

あとがき

新型コロナウィルスの流行で、行きたいところにも行けないので、精神的にダメージを受けています。外出時にいつもマスクをしているので、肉体的には比較的健康になっているようです。危ない橋を渡っているだけかもしれないけれど。

文治堂書店からの第三詩集『日光街道に歌うとき』も、集中力がなくなって、作業が半年以上も遅れることになりました。

表題作「日光街道に歌うとき」は、ギタリスト、マーク・イーストさんに曲を付けていただいて、東京理科大の後輩の歌手、祥子さんのCD『日本橋からあの街へ』に収録され、今年五月に発売されています。この経緯は「徳次郎に行く」（七十七頁）で読んでいただきたいと思います。

祥子さんは四年前、「日光街道宿場ライブ」を始めました。起点、日本橋から千住、草加、越谷、粕壁、杉戸、幸手、栗橋、中田、古河、野木、間々田、小山、新田、小金井、石橋、雀宮、宇都宮、徳次郎、大沢、今市、鉢石、全二十一の宿場、終点の日光まで、順にほぼ月一度ライブが開催されました。二年前の夏、日光中禅寺湖畔、二荒山神社中宮祠での最後のライブのときには、私も第二詩集『母という魔女』を百二十人ほどの観客に配らせてもらいました。祥子さんは「日光街道宿場ライブ」に続いて去年日光から「日光例幣使街道宿場ライブ」を始めています。しかし、コロナの影響で、今年三月の足利のライブを最後に中断し、群馬県には進めないでいます。

歌手祥子さんの活動に興味がある方は、本名「布井祥子」でフェイスブックを、ブログなら「祥子の徒然日記」を検索してください。くれぐれも熊本出身のグラビアの人と混同しないでください。

詩集『結城を歩き探すもの』と『母という魔女』は、それまでに書いたすべての詩から選びましたが、今回は数年前に書いた詩で編み、最近書いた詩は推敲の余地があると思い、除きました。

新川和江先生には、詩集を作るにあたって、今回もご指導をいただきました。電話で四〇分以上も話させていただいたのは、貴重な体験でした。

武子和幸先生、橋浦洋志先生には、詩集を出すにあたり、助言をいただきました。東京理科大学の先輩、勝畑耕一氏、曽我貢誠氏、そして文治堂書店には、今回も大変お世話になりました。

二〇二〇年十二月　　　田村勝久

著者略歴

田村勝久（たむら　かつひさ）
1956 年、茨城県結城市に生まれる
明照幼稚園卒業
結城市立結城小学校卒業
結城市立結城中学校卒業
茨城県立下館第一高等学校卒業
東京理科大学理学部化学科卒業

「センダンの木の集い」所属
「茨城詩人協会」会員
「茨城詩壇研究会」会員（詩誌「シーラカンス」）
「結城文學の会」会員
「暮鳥会」会員
「日本詩人クラブ」会員
「茨城文芸協会」会員

現住所
〒 316—0021
茨城県日立市台原町一の十の三
電話　0294-35-4862
携帯　080-6661-1309

詩集　日光街道に歌うとき

2021 年 3 月 17 日

著　者　田村　勝久
編集者　曽我　貢誠
発行者　勝畑　耕一

発 行 所　文治堂書店
〒 167-0021　杉並区井草 2-24-15
E-mail: bunchi@pop06.odn.ne.jp
URL: http://www.bunchi.net/
郵便振替　00180-6-116656
ISBN978-4-938364-45-8

編　　集　具 羅 夢

印刷・製本　㈱ いなもと印刷
稲 本 修 一
〒 300-0007 土浦市板谷 6-28-8